**Edition Schott**

Krzysztof Penderecki

*1933

# Capriccio

für Tuba solo
for Tuba Solo

(1980)

**ED 7446**
ISMN 979-0-001-07794-1

www.schott-music.com

Mainz · London · Berlin · Madrid · New York · Paris · Prague · Tokyo · Toronto
© 1987 SCHOTT MUSIC GmbH & Co. KG, Mainz · Printed in Germany

Aufführungsdauer: ca. 6 Minuten

# Capriccio

Krzysztof Penderecki
(1980)

**Scherzo alla Polacca**

Schott Music, Mainz 46 075